CU00839527

BRECHDANA BANANA
A GWYNT AR ÔL FFA

LLYFRAU LLOERIG

Brechdana banana a gwynt ar ôl ffa

Barddoniaeth loerig am fwyd o bob math

Gol: Myrddin ap Dafydd

Golygydd: Myrddin ap Dafydd

(h) yr awduron/Gwasg Carreg Gwalch

(h) y lluniau: Siôn Morris

Argraffiad cyntaf: Mawrth 2000

Cyhoeddwyd dan gynllun comisiynu Cyngor Llyfrau Cymru

Dymuna'r cyhoeddwyr gydnabod cymorth
Adrannau Cyngor Llyfrau Cymru.

Cedwir pob hawl.
Ni chaniateir defnyddio unrhyw ran/rannau
o'r llyfr hwn mewn unrhyw fodd
(ac eithrio i ddiben adolygu)
heb ganiatâd Gwasg Carreg Gwalch
yn gyntaf.

Panel Golygyddol Llyfrau Lloerig:
Hywel James, Rhiannon Jones, Elizabeth Evans

Rhif Llyfr Safonol Rhyngwladol:
0-86381-620-7

Argraffwyd a chyhoeddwyd gan Wasg Carreg Gwalch,
12 Iard yr Orsaf, Llanrwst, Dyffryn Conwy
☎ (01492) 642031 🖷 (01492) 641502
e-bost: llyfrau@carreg-gwalch.co.uk
lle ar y we: www.carreg-gwalch.co.uk

Cynnwys

Cyflwyniad

Golygfa: Babi mewn cadair uchel; bwyd wedi ei stwnsho yn uwd di-liw ac yn cael ei gario ar lwy at geg y bychan gan oedolyn sy'n prysur golli amynedd.

Y ddrama: Babi'n taro'r llwy nes bod yr uwd di-liw yn gorchuddio ei wallt, ei wyneb, y papur wal, y llawr a dillad yr oedolyn.

Uchafbwynt: Babi'n sgrechian; oedolyn yn gwylltio.

Mae'r ddrama yn un gyfarwydd mewn sawl tŷ. Er bod pawb yn dweud wrth y babi bod yn rhaid iddo fwyta, bod y bwyd yn dda iddo, dydi o jest ddim yn coelio. Mae o eisiau dianc o'r gadair a mynd yn ôl i dynnu clustiau'r gath. Ond tybed a welsoch chi'r ddrama nesaf?

Golygfa: Babi mewn cadair uchel. Yr un uwd di-liw yn cael ei gario ato ar lwy.

Y ddrama: Yr oedolyn, y tro hwn, yn gwneud sŵn awyren, neu drên, neu long, ac yn gofyn i'r babi am le i lanio, neu i agor ceg y twnnel drwy'r mynydd neu i ddangos y ffordd i'r harbwr.

Uchafbwynt: Babi'n agor ei geg, yn llyncu'r uwd di-liw, yn chwerthin ac eisiau mwy. Oedolyn yn gwenu.

Mae llawer ohonom yn gyfarwydd â'r ddrama honno hefyd. Y cwestiwn mawr yw: pam mae uwd di-liw yn o-cê pan fydd o'n cael ei gario ar awyren neu drên?

Y stori sy'n apelio, wrth gwrs. Mae'r llwy yn fwy na llwy – mae'n troi i fod yn llun o bethau cyffrous sy'n apelio at y dychymyg. Hyd yn oed o gwmpas y bwrdd bwyd, mae digon o bethau a all wneud inni godi'n clustiau a rhyfeddu. Weithiau, sŵn geiriau sy'n apelio; dro arall, hiwmor rhyfeddol ac ambell dro syniadau sy'n ein synnu a'n tawelu.

Mae'r cyfan wedi ei arlwyo yma yn wledd ichi ei mwynhau! Estynnwch ati a cheisiwch fwyta'n daclus . . .

Myrddin ap Dafydd

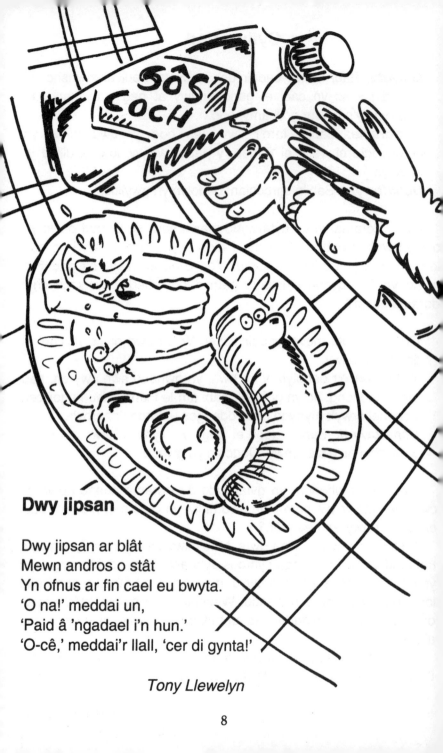

Dwy jipsan

Dwy jipsan ar blât
Mewn andros o stât
Yn ofnus ar fin cael eu bwyta.
'O na!' meddai un,
'Paid â 'ngadael i'n hun.'
'O-cê,' meddai'r llall, 'cer di gynta!'

Tony Llewelyn

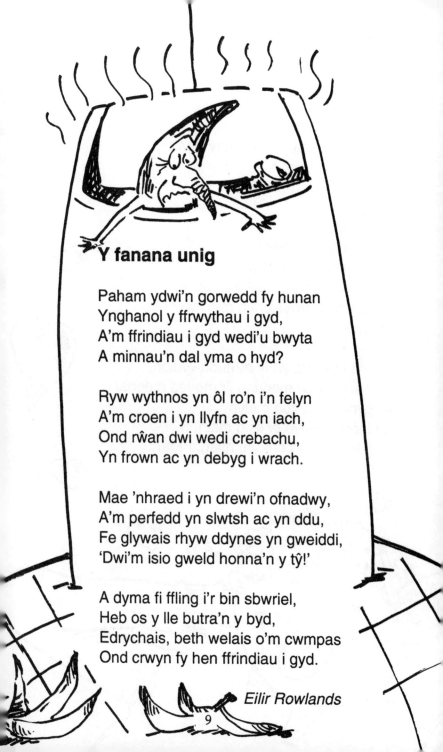

Y fanana unig

Paham ydwi'n gorwedd fy hunan
Ynghanol y ffrwythau i gyd,
A'm ffrindiau i gyd wedi'u bwyta
A minnau'n dal yma o hyd?

Ryw wythnos yn ôl ro'n i'n felyn
A'm croen i yn llyfn ac yn iach,
Ond rŵan dwi wedi crebachu,
Yn frown ac yn debyg i wrach.

Mae 'nhraed i yn drewi'n ofnadwy,
A'm perfedd yn slwtsh ac yn ddu,
Fe glywais rhyw ddynes yn gweiddi,
'Dwi'm isio gweld honna'n y tŷ!'

A dyma fi ffling i'r bin sbwriel,
Heb os y lle butra'n y byd,
Edrychais, beth welais o'm cwmpas
Ond crwyn fy hen ffrindiau i gyd.

Eilir Rowlands

9

Mefus a mafon
(mmm!)

Ymhle mae Mehefin?
Ymhle'n tin-droi
a minnau â 'mherfedd yn fy mrathu
wrth aros amdano,
Mehefin, fis y mefus?

Mefusen,
ym moch fy maban,
yn y machlud ym Medi,
mil mwynach na meillion y maes,
na molawd mwyalchen min hwyr . . .
Mmmm . . .

Rwy'n mwydro yn fy mreuddwydion,
mor anodd yw maddau i'r melfed meddal
a'i gymalau o sug melys
a'r mellt mân yn ei asid main
fel barrug ben bore ym mlagur Mai . . .
Mmmmmmm . . .

Ond ymhle mae Mehefin?

O'r diwedd!
Dan fy mraich o'r marchnadoedd,
drwy'r mymryn o wlith o'r ardd,
mae fy mhantri a 'mhleser yn llawn;
rwy'n mwydo 'nhu mewn,
ymlanwaf â miliynau
nes bod fy mol fel morlo
ac rwy'n mewian eisiau mwy . . .
Mmmmmmmmmm . . .

Rwy'n mwynhau fy mwrdd haf,
meddwyn y ffrwythau meddal,
ond beth wnaf pan ddaw Gorffennaf
a 'mharadwys yn 'madael . . . ?

MAFON!
Mmmmmmm . . .

Myrddin ap Dafydd

11

Crystia

Bob tro 'dan ni'n cael brechdan,
Dwi'n casáu hen grystia cas –
Maen nhw'n galad ac yn finiog
Ac yn afiach iawn eu blas.

Maen nhw'n crensian fel hen ludw
Maen nhw'n ddu fel cefn y grât,
Maen nhw'n anodd iawn i'w cuddio
O dan ymyl crwn fy mhlât.

'Dyw 'mrawd ddim isio'u bwyta,
Mae'r ci yn troi ei drwyn,
Ac mae'r brain yn gweiddi 'Ych a fi'
Wrth eu lluchio'n ôl o'r llwyn.

'Mi gei gyrlan am bob crystyn,'
Yw pregeth ddyddiol Mam.
Ond does 'run blewyn ar ben Dad,
A does dim rhaid gofyn pam!

Tony Llewelyn

Ta-ta bwyta ffa

Myfi yw hogyn gorau'r byd
Am fwyta'r tost a'r ffa i gyd;
Ond pan ddaw'r gwynt i dynnu gwg,
Mae'r hogyn da yn hogyn drwg.

Edgar Parry Williams

13

Bwyta moron yn Nanhoron

Mae Wil o Nanhoron yn hoff iawn o foron,
Rhai amrwd, rhai bychan a mawr,
Mae chwaer Anti Beti yn sglaffio sbageti –
Gall lyncu naw paced mewn awr!

Mae Eban ac Ana yn bwyta banana
Bob bore a phob amser te,
A Rheinallt Cadwalad' yn mynnu cael salad –
Wrth fwyta mae'n gweiddi hwrê.

Mae Emrys ac Aled yn fois am bys caled
A'u cyfri nhw hefyd, pob un,
A Jim o Bwllheli, mae o'n prynu jeli
A'i gadw i gyd iddo'i hun.

Ond os ydy Sara yn cael pwdin bara,
mae dyn sydd yn byw lawr y stryd
heb hyd yn oed enw,
ac felly 'dyw hwnnw
yn yfed na bwyta dim byd!

Mei Mac

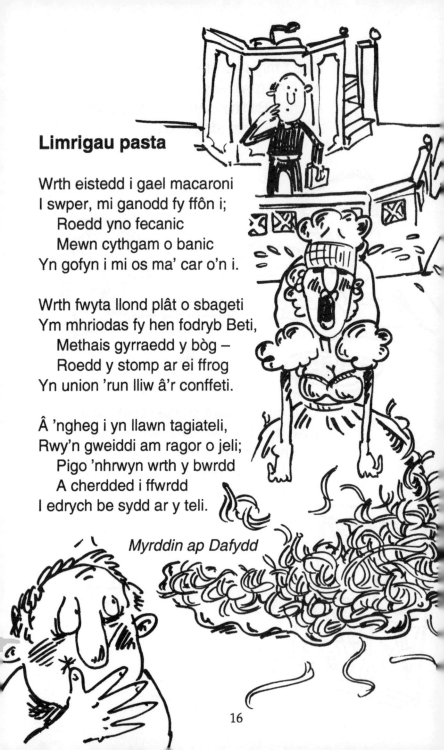

Limrigau pasta

Wrth eistedd i gael macaroni
I swper, mi ganodd fy ffôn i;
   Roedd yno fecanic
   Mewn cythgam o banic
Yn gofyn i mi os ma' car o'n i.

Wrth fwyta llond plât o sbageti
Ym mhriodas fy hen fodryb Beti,
   Methais gyrraedd y bòg –
   Roedd y stomp ar ei ffrog
Yn union 'run lliw â'r conffeti.

Â 'ngheg i yn llawn tagiateli,
Rwy'n gweiddi am ragor o jeli;
   Pigo 'nhrwyn wrth y bwrdd
   A cherdded i ffwrdd
I edrych be sydd ar y teli.

Myrddin ap Dafydd

Bîns

Pwy 'sa'n bod yn fînsan, 'run fath â'ch mêts i gyd,
Yn ista'n goch a chrwn ar dost, fel pob bîn yn y byd.
Pwy ddwedodd 'rioed wrth fînsan, 'Ti yw'r fîn i mi.
Rwyt ti yn fîn arbennig . . . fu 'na 'run bîn 'rioed fel ti'?
Ond coeliwch chi neu beidio, mae'r bîns bach doeth o hyd
Yn falch o fod yn unffurf, yn goch a chrwn eu pryd.
Mae'r cwestiwn 'Hei, pwy rechodd?' yn gyffredin yn eu clyw,
Ac mae gan fîns draddodiad hen, gwerth chweil, i'w gadw'n
fyw;
Nid yw'n embaras iddynt, fel mae bob tro i rai,
Am eu bod i gyd mor debyg – maen nhw'i gyd yn cael y bai!

Tony Llewelyn

Bwyta'n iach

Mae Nain yn dweud o hyd,
'Rhaid bwyta pethau sy'n
Llawn maeth, er mwyn i ti
Gael tyfu'n fachgen cry.
Bresych a bara, moron a ffa,
Pysgod a ffrwythau. Rhain sy'n dda!
Cig ac uwd a chreision ŷd.
Rhain yw bwydydd iacha'r byd!'

Ond mae'n well gen i . . .

Chop suey a chips, Pepsi a pizza,
Byrgar a chyrri, kebabs a samosa,
Pasta a popcorn, tandwri a Twix,
Lemonêd a lasagne, Pick-and-Mix,
Pot nwdls, Penguins a hufen iâ.
Bwydydd ffantastig! *Rhain* sy'n dda!

Zohrah Evans

18

Dim trydan!

'Be gawn ni i swper?' gofynnais i Mam,
A hithau'n cynnau'r gannwyll yn fflam,
'Dim ots bod dim trydan, mae'r ffrisyr yn llawn
O sglodion a byrgars 'rôl siopa ddoe p'nawn.'

'Sut liciet ti fwyta â morthwyl a chŷn?'
Medd Mami yn swta, â golwg reit flin,
'Bydd y byrgers fel eisbergs, a'r sglodion fel craig,
Ti'n ddigon, ar brydiau, i ddrysu hen wraig!'

'Ond Mam,' meddwn innau, a'm wyneb yn dwp,
'Ma'r cwpwrdd yn orlawn o duniau o sŵp!'
'A sut 'nei di'u twymo, ar ben y stôf?
Ti'n ddigon i yrru dy fami o'i chof!'

'Dwi'n gwbod be gawn ni – te, tost a jam!'
Ond eto disgynnodd wyneb fy mam.
'Ma'r tegell, a'r tostar, melltith i'r drefn,
Yn rhedeg ar drydan Economi Sefn!'

Mi ddringais i'r cwpwrdd, O! dyma top tip!
'Wel beth am fisgedi Macfitis Choc Chip?'
'Hwrê,' medde Mam, 'dwyt ti ddim mor ffôl!'
Ac ar y gair daeth y trydan yn ôl!

Carys Jones

Brecwast yn nhŷ modryb Ann

Reis crisbis yn feddal fel pwdin,
A'r llefrith bron suro bob tro,
Dim ond crafiad o fenyn a mêl ar fy nhost
A hwnnw yn galed fel glo.
Wy 'di'i ffrio yn nofio mewn seimiach,
Yn cuddio rhyw fymryn cig moch,
Llygedyn o fadarch 'di sychu,
Dim golwg o'r botel sôs coch.

Brecwast yn nhŷ Nain

Cael dewis o rawnfwyd i ddechrau,
A'r llefrith yn hufen i gyd,
Y tost yn llifeirio o fenyn,
A mêl melyn, braf ar ei hyd,
Melynwy yr wy yn rhedegog,
A'r gwynwy yn galed a chrwn,
Tomenni o gig moch, peth cartre,
A sôs coch, digonedd o hwn.

Lis Jones

21

Dwi ddim yn licio

Dwi ddim yn licio pethau gwyrdd –
Nid siani flewog ydwi!
Mae'n well gan fachgen deuddeg oed
Gael tatws rhost a grefi.

Dwi ddim yn licio 'falau coch
Na mafon, chwaith, na mefus –
Mae'n well gen i gael jeli pinc
A hufen 'lawr fy ngwefus!

Dwi ddim yn licio bara grawn –
Dwi ddim yn byw mewn taflod!
Mae'n well gen i gael rôl mawr gwyn
A byrgar ar fy nhafod.

Mae Mam yn deud ga'i sbotiau mawr,
A bloneg dros fy mol i,
A cha'i fyth gariad tal a del
I swsio a chyboli . . .

    Ond dwi ddim yn licio merched hurt
    Â'u clebran byth a hefyd –
    Yr unig gariad dwi'isio byth
    Yw Manchester United.

Carys Jones

Brawd bach barus

Roedd pawb o'r teulu'n amau
Fod rhywbeth mawr o'i le
'Fo Wil, fy mrawd, pan lyncodd
Ei blât a chwe llwy de.

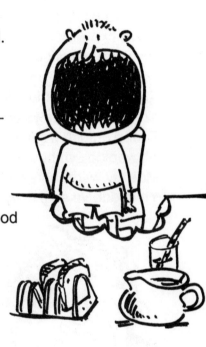

Roedd trachwant arno'n wastad,
Ni welais mo'i debyg 'rioed:
Peth od ac annaturiol
Mewn plentyn teirblwydd oed.

Yn bump aeth Wil i'r ysgol,
Ond er rhybuddio syr
Diflannodd pedwar hamstyr –
Doedd dim ar ôl ond ffŷr.

Does neb yn derbyn llythyr
Na cherdyn yn tŷ ni;
A'r postman – wel, does wybod
Ble'r aeth o, coeliwch fi.

Does neb o'r teulu'n llwglyd
Am swper nawr. A pham?
Mae eistedd efo Wili'n
Gêm beryg, meddai Mam.

Valmai Williams

Wyau mewn omled?

Be? Wyau 'dan ni'n 'gael i ginio?
Ond dwi ddim yn licio wy!
Mae'r drewi'n codi pwys arna i
Pan wthiaf drwy'r plisgyn fy llwy.
Mae'r stwff gwyn mor anodd ei dreulio,
Fel rybyr yn mynd rownd a rownd,
A'r melyn yn feddal bob amser
Yn hongian i'w gilydd yn sownd
A llithro fel malwen ddiafael
I lawr fy ngwddw'n un darn.
Wy wedi'i ferwi? Dim diolch –
Dyna yn sicr yw 'marn.
'Dyw wy wedi'i ffrio ddim callach –
Yn slefran ar draws yr holl blât,
Ei dop o ddim wedi coginio
A'i waelod cyn ddued â grât.
Mae wy wedi'i botsio yn ddyfrllyd
Yn suddo yn sogi drwy 'nhost . . .

Ond pan fydd 'na awgrym o omled,
Mi fyddaf yn wirion bost
Yn torri yr ham a'r tomatos,
Yn hwylio y bwrdd at y pryd,
Yn agor poteli o sôsys
A disgwyl yn wên i gyd
Am blatiad o grimpyn melyn
A deud 'mod i awydd cael mwy . . .

Be? Oes 'na wyau mewn omled?
Ond dwi ddim yn licio wy . . .

Myrddin ap Dafydd

Ti ishe?

'Ti ishe moron, ishe gwyrdd
Y bresych, neu gig eidion?
Beth am y salad gwyrdd fan draw?'
   'Dim byd ond ffa a sglodion!'

'Mae'r pys a'r cennin yma'n ddel,
A'r 'sgewyll yn odidog,
Mae'r afal coch yn denu dŵr!'
   'Dim byd ond creision draenog!'

'Mae'r 'fale cariad yn rhai gwych,
A'r madarch yn rhai campus,
Beth am yr eirin, mafon, mwy?'
   'Mae'r popcorn yn fwy blasus.'

'Ble nawr ar ôl y siopa drud,
Mae gennym amser hydoedd,
Beth am y parc a'r awyr iach?
Beth? Na! Mae gen ti'r ddannoedd . .

26   *Gwyn Morgan*

Dim hanner da

'Mae rhywbeth tu mewn yn fy mhwnio,
Dwi'n teimlo yn . . . reit ych a fi,'
Ond er imi grio a swnian a chwyno –
"Sgoi'r ysgol? – dim iws,' medda Hi!

'Roedd popeth yn iawn pan oedd parti,
Dim mymryn o sôn am dy fol,
Paid, da thi, hel esgus ac edrych yn boenus
Bob bore fel hyn – taw â'th lol!'

A dyma'r hen Huw o drws nesa
Yn achwyn, fel gwnaiff bob un tro –
'Mi fytodd ddau pizza a llyncu tri Cola
A phentwr o grisps,' medda Fo.

'A darn mwy na neb o fy nheisen,
A'm siâr i o'r sosej a'r ham.'
Ac er 'mod i'n giami, fy ngyrru'n reit handi
I 'ngwely a 'nwrdio wnaeth Mam.

Valmai Williams

27

Be s'genti'n y bocs cinio?

Bechdana banana ddaw Hanna bob tro,
Rhai Marmite mae Mirain yn fyta,
Caws a nionyn mae Colin yn ga'l,
Tomato s'gin Tomos gan amla.

Rhai mêl fydd gan Mali a Melfyn bob dydd,
A Tony yn sgut am rai tiwna,
Menyn cnau mae Menna'n eu cnoi,
A dwyn rhai Danny mae Donna!

Sbam a sôs coch s'gin Sam amball waith,
Rhai creision ddaw Cris bob un diwrnod,
Jam fydd gan Jemma bob dydd, gewch chi weld,
A Sali 'fo salad a nionod!

Mae Harri 'di laru ar ham, medda fo,
Mae o'n rhoi nhw i Rhodri bob gafal;
'Gan Sioned rai siwgwr 'fo hi amball waith,
Ac Avril bob tro'n ca'l rhai afal.

Wy fydd gan William a Huw 'fo cyw iâr,
A Bethan 'fo bîff bob un bora.
Ma' Angharad bob tro yn anghofio'u rhai hi,
A ffwdan fydd 'u ffônio nhw adra!

Ddoth 'na hogyn newydd i'n dosbarth ni ddoe
Hefo clamp o focs bwyd fatha casgan!
A be oedd, 'ddyliwch chi, yn ei frechdan o?
Ei enw yn syml oedd Morgan.

Cefin Roberts

Dad a'i noson ma's

Mae Dad 'di bwyta cyrri,
A suddo peints o gwrw,
Mae'r ddau yn gymysg yn ei fol
Yn creu lot fawr o dwrw.

Gwyn Morgan

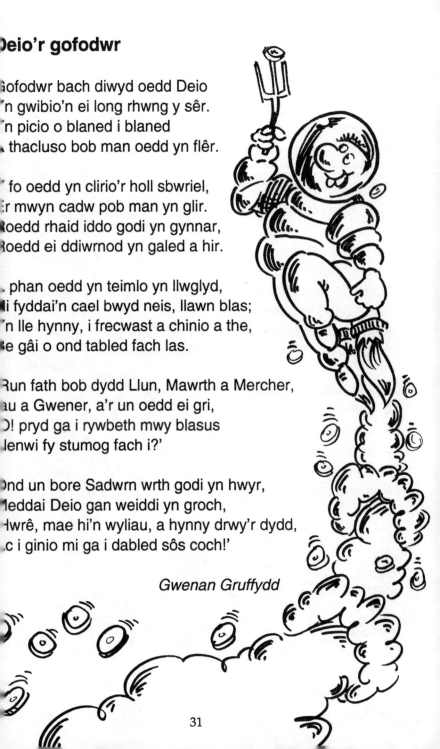

Deio'r gofodwr

Gofodwr bach diwyd oedd Deio
'n gwibio'n ei long rhwng y sêr.
'n picio o blaned i blaned
A thacluso bob man oedd yn flêr.

Y fo oedd yn clirio'r holl sbwriel,
Er mwyn cadw pob man yn glir.
Roedd rhaid iddo godi yn gynnar,
Roedd ei ddiwrnod yn galed a hir.

A phan oedd yn teimlo yn llwglyd,
Ni fyddai'n cael bwyd neis, llawn blas;
'n lle hynny, i frecwast a chinio a the,
Ne gâi o ond tabled fach las.

Run fath bob dydd Llun, Mawrth a Mercher,
Iau a Gwener, a'r un oedd ei gri,
'O! pryd ga i rywbeth mwy blasus
I lenwi fy stumog fach i?'

Ond un bore Sadwrn wrth godi yn hwyr,
Meddai Deio gan weiddi yn groch,
'Hwrê, mae hi'n wyliau, a hynny drwy'r dydd,
Ac i ginio mi ga i dabled sôs coch!'

Gwenan Gruffydd

31

Te parti

I mewn i'r brechdana –
Rhai mêl a banana –
A stwffio fy hun yn o lew,
Ac wedyn rôls ham
A thair dônyt jam
Nes 'mod i fel hipo o dew.

Darnau o pizza,
Bisgedi bach 'Ritz' a
hufen iâ, wagon-wîls, orenj clyb;
Llond baddon o jeli
A llwyth o gaws smeli:
'Nhu mewn i'n gwneud sŵn hỳb-bỳb-bỳb.

Mi lowciais gacennau,
A wêffyrs bach tenau,
A gercins a phicyls a chnau;
A digon o greision
I lenwi dau feison
Nes nad oedd fy sip i yn cau.

I lawr y lôn goch
Aeth quiches cig moch
A tjoclet ecleren neu ddwy;
A thoc mi es, do,
Rownd y gerddi am dro –
Dim ond i wneud lle i 'mbach mwy.

Roedd fy mol i fel bric,
Llawn sosejys ar stic,
Marshmalo a gateau lond sach . . .
Ac wedyn i'm gŵydd
Daeth y gacen ben-blwydd . . .
O-cê, 'ta, dim ond rhyw ddarn bach . . .

Myrddin ap Dafydd

Diolch byth

Diolch am y 'Dolig,
Diolch am yr Ŵyl.
Diolch am rieni
I dalu am yr hwyl.
Diolch am y gwyliau
A'r ysgol wedi cau.
Diolch am y ffrwythau,
Diolch am y cnau.
Diolch am anrhegion
Ac am y pwdin plwm.
Diolch am gael gorwedd
A 'mol i'n dynn fel drwm.
Diolch am y cigoedd
A gaf i ar fy fforc,
A diolch byth nad ydwyf i
Yn dwrci neu yn borc!

Edgar Parry Williams

Cael cam

Pan fyddaf, ar ôl brecwast,
Yn llyfu'r ddysgl jam
Rhag cael 'run smotyn arni,
Caf ffrae reit flin gan Mam.

Ond pan fydd Pws yn bwyta
Ei 'Kit-e-Kat' ar lawr
Bydd Mam yn dweud bob amser,
'Tyrd, llyfa'r ddysgl nawr.'

Ac ar ôl gorffen swper
I'r gwely rwyf fi'n mynd,
Ond meddai Mam wrth Pwsi,
'Wel dos am dro'r hen ffrind!'

Mae Mam a mi'n ben ffrindiau,
Ond synnaf ati hi –
Y pethau neis i Pwsi,
A'r pethau cas i mi.

Dorothy Jones

35

Pethau gludiog

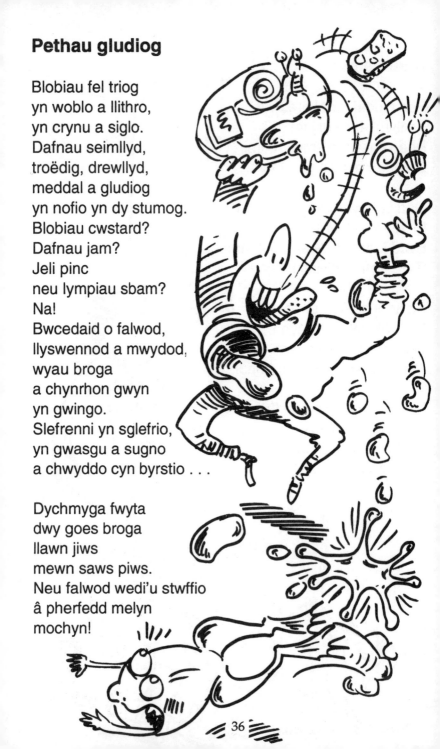

Blobiau fel triog
yn woblo a llithro,
yn crynu a siglo.
Dafnau seimllyd,
troëdig, drewllyd,
meddal a gludiog
yn nofio yn dy stumog.
Blobiau cwstard?
Dafnau jam?
Jeli pinc
neu lympiau sbam?
Na!
Bwcedaid o falwod,
llyswennod a mwydod,
wyau broga
a chynrhon gwyn
yn gwingo.
Slefrenni yn sglefrio,
yn gwasgu a sugno
a chwyddo cyn byrstio . . .

Dychmyga fwyta
dwy goes broga
llawn jiws
mewn saws piws.
Neu falwod wedi'u stwffio
â pherfedd melyn
mochyn!

A beth am greision
blas penbwl amrwd
a mwd?

A sut yn y byd mae llyncu
wy heb ei ferwi
a hwnnw'n glynu
wrth dy dafod?

Yna i ddilyn –
llwyth o siocledau
meddal, meddal,
trionglog a phetryal yn toddi a llifo,
yn ffrydio a threiddio
i'r tyllau pydredd
yn dy ddannedd.
Tagu wrth stwffio
a'r bola'n chwyddo
a theimlo fel ffrwydro.

Pethau gludiog
yn dy stumog
fel jeli crynedig,
anniddig . . .

'Ma-am. Mae'r boen ryfedda
yn fy mola.
Dere â'r bwced. Brysia!'

Emyr Hywel

37

Gwyliau yn Ffrainc

Yn Ffrainc roedd 'na fara, a bara, a mwy,
Rhai hir fatha ffon, a rhai hirgrwn fel llwy;
Rhai'n llawn o gyrens neu siocled neu jam,
Rhai eraill wedi'u llenwi â chaws gwyn a ham.

Roedd tomatos siâp eirin, rhai bach a rhai crwn,
Yn aeddfed a melys â chroen llyfn fel drwm,
Roedd 'na 'falau a mefus a llwyni llawn mafon,
A choed grawnwin yn rhesi 'rochr arall i'r afon.

Roedd 'na grempogau fflat gyda siwgwr neu lemon,
Neu hufen iâ melyn neu sorbet blas melon,
A chacennau bach taclus a'r eisin yn sgleinio,
Fferins siâp ffrwythau mewn bocsys 'di'u peintio.
Yn Ffrainc.

Ar y llong wrth ddod adre roedd 'na datws stwnsh dyfrllyd,
Sosej 'di llosgi a phys llwyd-wyrdd rhynllyd,
A dynes fawr swnllyd, a'i hambwrdd yn llawn,
Yn gweiddi 'O'r diwedd, hwrê! Bwyd go iawn!'

Gwenan Gruffydd

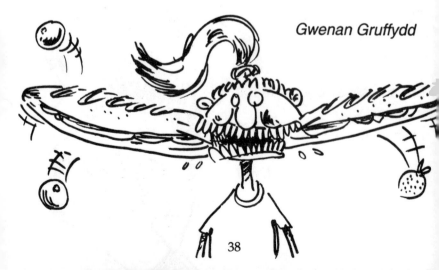

38

Barbaciw

Creision yn cracio
Mewn ogof rhwng dwy foch,
A sliwod o sbageti
Yn llithro i lawr lôn goch;
Llynnoedd yn y llygaid
Wrth roi nionod yn y stiw,
A'r sosejys yn sisial
Ar dân y barbeciw.

Selwyn Griffith

M

'Beth am drio Ffrainc tro nesa?'
Meddai Dad wrth drefnu gwylia,
'Eu prydau nhw, heb os, sydd ora.'
Pawb yn llyfu eu gwefusa.

'Grêt,' ddywedais i, heb wybod
Am fwydlenni od y Ffrancod –
Coesa llyffant, cregynbysgod,
A llond dysgl fawr o falwod.

YCH A FI! – ro'n i bron llwgu,
A 'nhu mewn yn dechrau crynu,
Nes gweld yno Fy Hoff Fwyty –
Mewn â fi yn syth dan wenu.

'Wel,' medd Dad, 'mae'n anodd coelio
Tâst yr ifanc – Duw a'n helpo;
Wedi croesi'r môr a'r gwario,
Dyma'r hyn sydd yn dy blesio!'

Valmai Williams

40

Parti'r Milflwyddiant

Hwn oedd y parti mwyaf
Gynhaliwyd yn y dre
I ddathlu y milflwyddiant –
Daeth miloedd draw i'r lle.

Roedd cacen ugain tunnell;
Canhwyllau – roedd dwy fil.
Daeth jeli mewn deg berfa
A'r hufen yn ei sgil.

Daeth y Coke mewn lorri goncrid
A'r creision mewn fan fawr;
Y fferins mewn bwcedi –
Bu gwledda tan y wawr.

Brechdanau ar ddwy artic,
Llond sgip o hufen iâ,
A'r cwstard mewn tanceri –
O! waw! am barti da!

Ni welwn barti eto
Byth bythoedd 'fath â hwn,
Ond bydd un mewn deg canrif –
Os bydd y byd yn grwn.

Eilir Rowlands

41

John Ty'n Pot

Roedd John Ty'n Pot yn byta lot,
Roedd 'i wraig e'n byta mwy;
Os odd John yn byta taten
Odd hithe'n byta dwy.
Mari odd 'i henw
A'i bola yn cyrraedd i'r llawr
Ac rodd hi'n gallu byta cinio i ddeg
Mewn llai na chwarter awr.
Un diwrnod mi fytodd hi dwrci
Ac yna buwch a dwy gath
Ac i ddilyn mi lyncodd y wardrob –
Roedd hi'n mynd o ddrwg i wa'th.
Y soffa oedd y nesa,
Ac yna'r gwely dwbwl,
A phan welodd John hi'n gwenu arno fe
Odd e'n gwbod 'i fod e mewn trwbwl! . . .
. . . Mi lyncodd John mewn wincad
Mewn brechdan a margarîn;
Ac i orffen y diwrnod yn daclus
Mi fytodd Mari 'i hun . . .

                              Amen.

                        Dewi Pws

42

Diffyg traul

Medd 'Nhad wrth Mam un noson,
'Os collith Lerpwl, Bet,
Yr wythnos nesa eto
Wel, mi fwyta i fy het.'

A cholli fu hanes Lerpwl,
Ac meddai Mam, 'Go dda.
Os bwyti di dy het, 'rhen go,
Mi fwyta inna 'mra.'

Selwyn Griffith

Bwyd beirdd

Dydi beirdd ddim yn bwyta bwyd,
Dyna pam eu bod nhw mor llwyd.
Ond wrth gnoi geiriaduron
Maen nhw'n pibo penillion.
A dyna'r gyfrinach o'r rhwyd!

Margiad Roberts

Bwyd cath

Hen ddynas fach o Gricieth
Yn prynu 'Citi-Cat',
Ac ar ôl cyrraedd adref
Yn ei fwyta ar y mat!

Margiad Roberts

Hoff ddiod

Mae Mam yn hoffi coffi
a Dad yn hoffi te,
ond gwell gen i a Branwen
gael Coke o'r Têc-awê.

Margiad Roberts

Ateb Nia

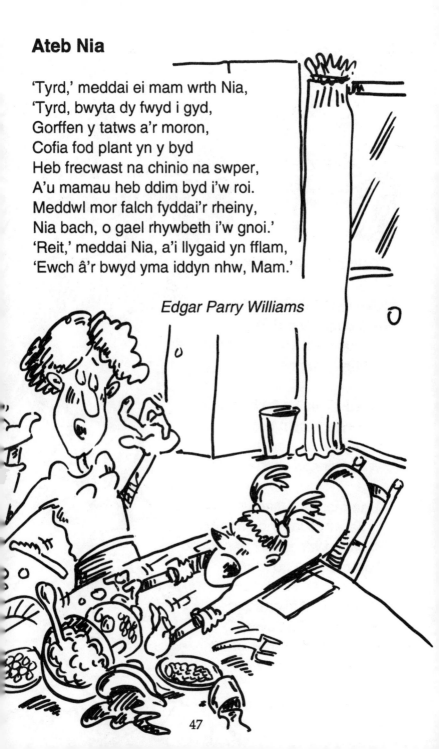

'Tyrd,' meddai ei mam wrth Nia,
'Tyrd, bwyta dy fwyd i gyd,
Gorffen y tatws a'r moron,
Cofia fod plant yn y byd
Heb frecwast na chinio na swper,
A'u mamau heb ddim byd i'w roi.
Meddwl mor falch fyddai'r rheiny,
Nia bach, o gael rhywbeth i'w gnoi.'
'Reit,' meddai Nia, a'i llygaid yn fflam,
'Ewch â'r bwyd yma iddyn nhw, Mam.'

Edgar Parry Williams

Tair cenhedlaeth . . .

Cyn dyfod dyddiau Tesco
A Sainsbury a Spar
Roedd Nain yn blingo cwningen
A berwi dwy hen iâr.

Roedd Taid yn halltu mochyn
A bwyta bacwn bras;
Fe losgai ef y braster
Wrth ddringo i ben ei das.

Mae Mam a 'Nhad yn gweithio
O naw hyd hwyr brynhawn,
A phrin yw'r amser ganddynt
I drefnu pryd go iawn.

Rwyf i yn hoffi creision
A Chinese Têc-awê,
A neithiwr mentrais ordro
Macdonalds ar y we!

Idris Jones

48

Cnoi

Er mwyn i fwydydd dreulio
Rhaid cnoi pob dim yn dda
Tua dau-ddeg-wyth o weithiau,
Cyn llyncu – dyna bla!

Ond os am fwyd didrafferth
Sy'n llithro i lawr yn neis,
Wel, hufen iâ a chwstard
A chawl a phwdin reis.

Valmai Williams

Y dyn haearn

'Ble mae ceir yn mynd ar ôl iddyn nhw farw?'
gofynnais i.
'Mae dyn haearn, barus yn eu bwyta,' medde fy mrawd.
'Dyn mawr haearn?' gofynnais i.
'Mae'r dyn haearn gymaint â thŷ,
gymaint â chraen
yn dod o'i wâl
yng nghrombil y Bannau . . . '
'Be?' gofynnais i. 'Bannau Brycheiniog?'
'Ble arall?' medde fe.
'Pryd mae e'n dod?' gofynnais i.
'Yn y nos, siŵr Dduw, ac mae ganddo ddau olau mawr
yn lle llygaid,
bonet yn geg,
'sdim trwyn ganddo,
'sdim raid iddo arogli,
a'i swydd yw cario ceir 'di marw
draw fan 'cw, ac yna mae o'n llanw ei gylla
gyda sgerbyda Sgodas,
Jagiwars,
pob math o gar.'
'Ydy e'n cael indeijestion ar ôl bwyta'r holl geir?' gofynnais i
'Weithiau, ond wedyn mae ambell i Rôls neu Bentli'n
                                    cliro'r system!

Dwedais 'mod i'n dallt,
ond fedrwch chi ddim credu fy mrawd hyna bob tro.
Dallt?

Gwyn Morgan

50

Bwyd llwy – bwyd pwy?

Mae Dafydd bach bron iawn yn ddwy
Yn dechrau bwyta efo llwy;
Bu wrthi'n daclus iawn am sbel,
Yna troi'r llwy yn ambarél!

Ei wallt yn jingls o bwdin reis,
A'i glust fel cacen 'Siwgwr a Sbeis';
Gwichian mawr, 'dim isio cyrri'!
A dyrnu'i blât fel Siwper Ffyri!

Bownsio'i gwpan i'r chwith a'r dde,
'Hwrê,' medd Pws, 'mae'n bwrw te!'
Sblash o gwstard ar sbectol Taid –
Chwerthin mawr wrth i Mam ddweud 'Paid'.

Rhoi'i dost i Pero – tydio'n glên
A'r jam yn driblan lawr ei ên!
Meddai Nain, 'mae wedi cael digon,'
Ond yn y bàth mae'n bwyta'r sebon!

Dorothy Jones

Y crocodeil

Os byth y gweli grocodeil
Paid cymryd ffon a'i bwnio,
A chofia anwybyddu'r wên,
Paid byth â chyffwrdd ynddo.
Saf digon pell pan weli hwn
Wrth afon yn breuddwydio,
Mae'n llwglyd a phob amser bron
Yn barod am ei ginio.

Valmai Williams

52

Mae Mam yn honni

Mae Mam yn honni
Ei bod hi'n feji,
Ond sgwn i erioed feddyliodd hi
Fod gan lysiau
Eu teimladau . . .
Bod letys yn cael hunllefau
Cyn eu torri'n dameidiau,
Bod gan flodfresychen galon
Cyn ei thorri'n yfflon,
Bod tatws yn chwysu
Cyn iddi eu malu,
Bod moron yn crio
Cyn eu coginio,
Bod yr afal yn gwrido
Cyn rhoi'r gyllell drwyddo,
Bod oren yn benwan
Cyn torri y cyfan.

Oes, mae gan lysiau deimladau,
Beth bynnag ddwedith mamau.

Gwyn Morgan

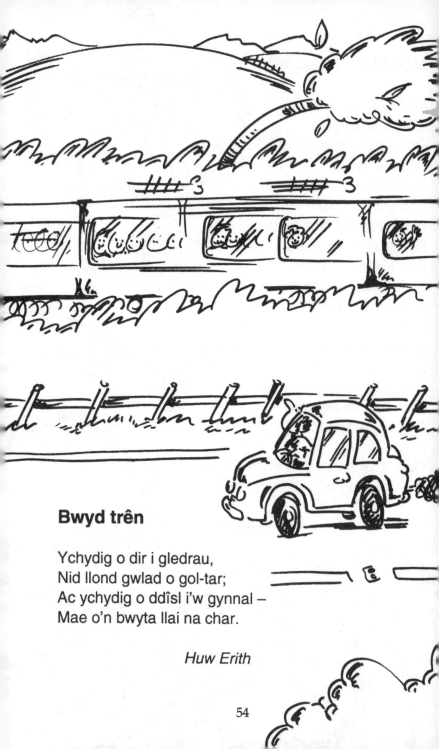

Bwyd trên

Ychydig o dir i gledrau,
Nid llond gwlad o gol-tar;
Ac ychydig o ddîsl i'w gynnal –
Mae o'n bwyta llai na char.

Huw Erith

Bwyd od!

Dwi ddim yn hoffi bwydydd od
o wledydd pell y byd,
Mae'n well gen i sbageti gwyn
a bolognaise yn bryd.

A phwy 'sa'n bwyta malwod tew
neu goesau llyffant bach?
Fe gaf i coq au vin o Spar
a sudd pinafal iach.

Bydd Dad yn iwsio chopsticks pren
i fwyta chow mein porc,
Bydd bwyd 'di mynd ar hyd y llawr
cyn iddo godi'i fforc!

Mae Mam yn hoffi Bombay duck –
mae'n dweud bod naan yn neis,
Ond gwell gen i gig oen Cymreig
mewn cyrri gyda reis.

Rhowch fwyd Cymreig i mi bob tro –
ni chewch chi ddim byd gwell;
Pwy sydd angen bwyta'n od
fel yn y gwledydd pell?

Carys Jones

55

Lladd anifeiliaid

Mae Samantha'n llysieuwraig;
'dyw hi byth yn bwyta cig
am fod lladd anifeiliaid
yn ei gwneud hi yn ddig.

Ond mae hi'n bwyta pob math
o lysia a ffa,
yn enwedig letys,
fel y gwn i yn dda!

Oherwydd un diwrnod
tra oeddwn i'n sbecian,
fe'i gwelais hi'n lladd – do wir – CHWE malwan!

'Ond dydi hynna ddim yn cyfri!'
gwaeddodd yn hollol o ddifri:
'achos does gan falwod ddim gwaed,
a phrun bynnag, maen nhw'n niwsans dan draed!'

Na, tydi Samantha ddim yn bwyta cig,
ond mae hi'n mynd yn reit biwis
pan fydd 'na rwbath
yn bwyta ei letys!

Ac ydi, mae hitha'n LLADD malwod;
ond tydach chi ddim i fod i wybod!

Margiad Roberts

56

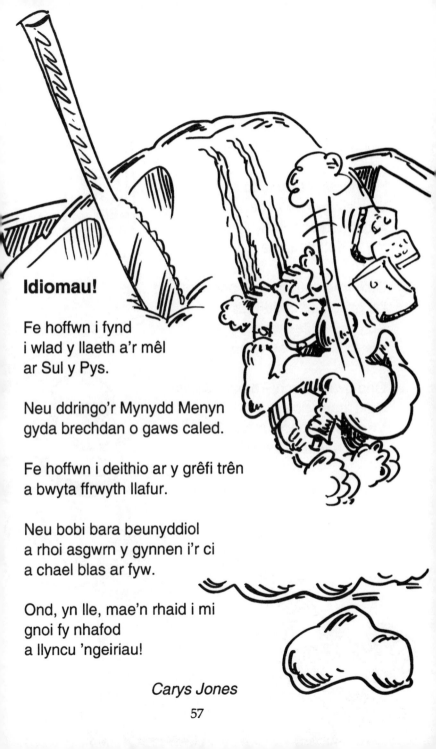

Idiomau!

Fe hoffwn i fynd
i wlad y llaeth a'r mêl
ar Sul y Pys.

Neu ddringo'r Mynydd Menyn
gyda brechdan o gaws caled.

Fe hoffwn i deithio ar y grêfi trên
a bwyta ffrwyth llafur.

Neu bobi bara beunyddiol
a rhoi asgwrn y gynnen i'r ci
a chael blas ar fyw.

Ond, yn lle, mae'n rhaid i mi
gnoi fy nhafod
a llyncu 'ngeiriau!

Carys Jones

Bwyd Bwli

Mae'r Bwli'n bwyta bwlets
A hoelion miniog, main;
Ac ar ei dost mae'n taenu
Llond llwy o bigau drain!

Hen eiriau cas teledu
Yw'r siwgwr yn ei de,
A dannedd cil Rotweiler
Yw ei hoff fferins e.

Caiff frechdan danadl poethion
I'w ginio bob dydd Iau;
Ac yna, yn lle pwdin,
Wy crocodeil neu ddau!

Ond gwrandwch – amser swper
Caiff 'baby rice' a jam –
Yn ddistaw bach, mae'r Bwli
Yn rêl hen fabi mam!

Dorothy Jones

Pam?

Pam nad yw hi'n bosib
Cael têc-awê drwy'r post?
A pham nad yw llygoden
Yn hoffi caws ar dost?

Pam nad yw pysgodyn
Yn yfed dim ond dŵr,
A'r iâr bob tro mae'n dodwy
Yn mynnu cadw stŵr?

Troi'i thrwyn wna'r gath fel arfer
Ar damaid o Kit-Kat,
Rhowch Kit-e-Kat i'r gnawes
Ac mae'n hapus ar y mat.

Pam mae buwch 'rôl gwledda
Yn mynnu cnoi ei chil?
A pham mae Dad 'rôl cwrw cry
Bob tro yn teimlo'n chwil?

Selwyn Griffith

59

Cwpledi llysieuol

Mae'r blas sydd ar bannas bach
yn flas heb ei felysach.

Nid winwns yw'r brechdanau
mwya neis i mi'u mwynhau.

Emyr Lewis

Gormod

Dwi'n dallt pan fydd Mami
Yn adrodd yn slic
"Na ddigon o siocled, neu byddi di'n sic!'

Ond dwi ddim yn dallt
Pan ddywedith hi
'Gormod o bwdin dagith gi!'

Carys Jones

Bodiau Beiro Barus

Mae Bodiau Beiro Barus
Yn llechu yn tŷ ni,
Ond yn y nos mae'n deffro
A sbrotian drwy y tŷ.

Tydio ddim yn hoffi pasta
Na roli-poli jam,
Dim creision na sbageti
Na chacen siocled Mam.

Ond O! mae'n hoffi beiros
I frecwast, cinio, te –
Mae'n llowcio bob un wêl o
Yn gorwedd hyd y lle!

'Pwy fu'n fy nghas pensiliau?'
Medd Mari'n hynod gas –
Mae Bodiau Beiro Barus
Yn dwlu ar Parkers glas!!

I bwdin, bydd bob amser
Yn dewis beiro goch,
A Dad yn methu marcio,
'Go dratia!' gwaedda'n groch.

A'r beiro fwyaf blasus
Yw honno wrth y ffôn –
Does byth ddim byd i sgwennu
Y neges flin ei thôn!

Ond . . . waeth pa mor ddrud a lliwgar
'Dio'm yn cyffwrdd beiros sych –
Am wybod ffaith fach felly
Mae'r lleidr hwn yn wych!

Dorothy Jones   63

Un bach mewn ciw mawr

Dwi'n toddi'n gyflym dan haul yr ha'
yng nghiw y Steddfod am hufen iâ.

Mae pishyn punt yn llosgi'n fy llaw
ond dyn y Stondin sy'n edrych draw

a 'mystyn clamp o ddwbwl fanila
i ddwylath blewog a hyll o gorila.

Caiff dynes drom dan drimings rosét
gornet mefus cymaint â'i het.

Yna, mae sbectol haul a throwsus cwta
yn gweiddi o'r cefn mewn llais digon swta

ei archeb anferth i'r teulu i gyd.
Dwi'n blentyn, yn fyr, yn neb yn y byd

heb fedru cyrraedd y cownter yn iawn;
dwi yma bellach ers hanner y pnawn . . .

. . . a fflamio! dyma barti cerdd dant
yn cael ugain rhyngddynt – sôn am chwant!

Mae'r dyn o'r diwedd yn gweld fy mhunt
wedi i weddill y ciw fynd efo'r gwynt.

'Choc-mint efo fflêc, 'sgwelwch yn dda.'
'Sori, bach – 'sdim mwy o hufen iâ.'

Myrddin ap Dafydd

65

Wyau

Hogyn o'r Barri ydi Harri
ac mae o'n prynu ei wyau yn y Cash an' Carri.
Mae o'n ennill ei gyflog
yn ddigon serchog
wrth ddanfon papura
o ddrws i ddrws bob ben bora.

Hogyn o'r Llan ydi Dan
ac mae ganddo gwt ieir yn y berllan.
Mae'n codi bob bora ar doriad gwawr
i agor y drws i'r ieir a'r ceiliog mawr
ac mae'n gofalu taflu digon o haidd a bara
o'u blaena. Chân nhw ddim byd ond y gora.

A phob gyda'r nos, 'rôl iddyn nhw glwydo,
mae'n gofalu cau'r drws rhag yr hen gadno.
Dyna ydi'r drefn.
Dyna ydi'r ddeddf.
Mae'n adnabod byd natur.
Mae'n gwybod am reddf.

'Ond dydi llwynogod ddim yn lladd ieir na cheiliogod!'
meddai Harri o'r Barri wrth drafod dofednod.
Ond be ŵyr o am na chadno na cheiliog
na iâr na chyw? Ma'i fywyd o yn llawn hwylustod.
'Mond cerdded i'r archfarchnad agosa
a chydio mewn bocs a'i lond o wya.

Roedd Dan yn falch o'i ieir oedd yn ddwsin,
a bu'n ennill gwobra hefo'r wya'n y primin.
Ond un gyda'r nos aeth i'w wely yn gynnar,
anghofiodd gau'r drws ac ni chlywodd y clochdar;
a thrannoeth roedd plu a chyrff ar y llawr
a'u gwaed wedi'i sugno yn y lladdfa fawr.

'Na, na, cael bai ar gam mae llwynogod,' meddai Harri.
Ond digon hawdd iddo FO ddweud;
mae o'n cael ei wyau yn y Cash an' Carri!

Margiad Roberts

67

Gwirioneddau am ffa
(Dilyniant o gerddi)

Pe bai ffa
fel da-da
byddai'n dda
gen i fwyta ffa.

Mae'n ffaith wybyddus
ar draws y glôb
nad yw pob ffa
'run fath â ffa pob.

Gwynt ar ôl glaw –
Heulwen a ddaw.

Gwynt ar ôl ffa –
Ha ha ha!

Emyr Lewis

TEITLAU ERAILL YN Y GYFRES

Mae'r llyfrau bellach wedi eu graddoli yn ôl iaith a chynnwys. Nodir y lefelau trwy gyfrwng sêr.

Grŵp 1 * (syml):
Codi Bwganod, addas. Ieuan Griffith (Gwasg Gomer)
Ffortiwn i Pom-Pom, addas. Elen Rhys (Gwasg Gwynedd)
Penri'r Ci Poeth, addas. Elen Rhys (Gwasg Gwynedd)
Pen-blwydd Hapus, Blodwen, addas. Elen Rhys (Gwasg Gwynedd)
Pwtyn Cathwaladr, addas. Elen Rhys (Gwasg Gwynedd)
Potes Pengwin/Tynnwch eich Cotiau, addas. Emily Huws (Dref Wen)
Sianco, addas. Angharad Dafis (Gwasg Gwynedd)
Syniad Gwich?, addas. Jini Owen a Brenda Wyn Jones (Gwasg Gwynedd)
Pws Pwdin a Ci Cortyn, addas. Gwawr Maelor (Gwasg Gwynedd)
Nainosôr, addas. Gwawr Maelor (Gwasg Gwynedd)

Grŵp 2 ** (canolig):
Crenshiau Mêl am Byth?, addas. Dylan Williams (Gwasg Gwynedd)
Dyfal Donc, addas. Emily Huws (Gwasg Gwynedd)
'Dyma Fi – Nanw!', addas. Marion Eames (Gwasg Gwynedd)
Peiriannau Nina, addas. Siân Lewis (Gwasg Gwynedd)
Dannedd Dodi Tad-cu, Martin Morgan (Cymdeithas Lyfrau Ceredigion)
Tad-cu yn Colli ei Ben, Martin Morgan (Cymdeithas Lyfrau Ceredigion)
Tad-cu yn mynd i'r Lleuad, Martin Morgan (Cymdeithas Lyfrau Ceredigion)
Cemlyn a'r Gremlyn, addas. Jini Owen a Brenda Wyn Jones (Cyhoeddiadau Mei)
3 x 3 = Ych-A-Fi!, Siân Lewis (Gwasg Gomer)
Cofiwch Bwyso'r Botwm Neu . . ., Mair Wynn Hughes (Gwasg Gomer)
Mins Sbei, Siân Lewis (Gwasg Gomer)
Mins Trei, Siân Lewis (Gwasg Gomer)
Gwibdaith Gron, Hilma Lloyd Edwards (Y Lolfa)
Rwba Dwba, Gwyn Morgan (Dref Wen)
Y Fferwr Fferau, addas. Meinir P. Jones (Gwasg Gomer)
Y Fflit-Fflat, addas Meinir P. Jones (Gwasg Gomer)
Ben ar ei Wyliau, Gwyn Morgan (Dref Wen)
Popo Dianco, addas. Dylan Williams (Gwasg Gwynedd)
Arswyd Fawr!, Elwyn Ioan (Y Lolfa)

Grŵp 3 *** (estynnol):
Yr Aderyn Aur, addas. Emily Huws (Gwasg Gomer)
Tŷ Newydd Sbonc, addas. Brenda Wyn Jones (Gwasg Gomer)
Ble mae Modryb Magi?, addas. Alwena Williams (Gwasg Gomer)
'Chi'n Bril, Bos!', addas. Glenys Howells (Gwasg Gomer)
Merch y Brenin Braw, addas. Ieuan Griffith (Gwasg Gomer)
Newid Mân, Newid Mawr, addas. Dylan Williams (Gwasg Gomer)
Pwy sy'n Ferch Glyfar, 'te?, addas. Siân Lewis (Gwasg Gomer)
Y Ffenomen Ffrwydro Ffantastig, Martin Morgan (Cymdeithas Lyfrau Ceredigion)
Smalwod, addas. Gwynne Williams (Gwasg Cambria)
Y Crocodeil Anferthol, addas. Emily Huws (Cymdeithas Lyfrau Ceredigion)
Zac yn y Pac, Gwyn Morgan (Dref Wen)
Zac yn Grac, Gwyn Morgan (Dref Wen)

Llyfrau Arswyd Lloerig (Gwasg Gomer ***):
Bwthyn Bwganod, addas. Gron Ellis
Y Gors Arswydus, addas. Ross Davies
Mistar Bwci-Bo, addas. Beryl S. Jones
Y Bws Ysbryd, addas. Sulwen Edwards